ser quinto
Ernst Jandl · Norman Junge

Ernst Jandl nació en 1925 en Viena y está considerado como uno de los poetas contemporáneos más importantes en lengua alemana. Ha recibido, entre otros, el Premio Georg-Büchner.

Norman Junge nació en 1938 en Kiel (Alemania) y reside en Colonia. Es un artista muy polivalente y sus libros ilustrados para niños han recibido excelentes críticas y prestigiosos premios.

Ser quinto ha sido distinguido con el Premio BolognaRagazzi 1998 dirigido a primeros lectores.

Tercera edición: 2005

Título del original alemán: fünfter sein
Traducción de Eduardo Martínez
© 1997 Beltz Verlag, Weinheim und Basel
Programm Beltz & Gelberg, Weinheim
© para España y el español: Lóguez Ediciones Ctra. de Madrid, 90
37900 Santa Marta de Tormes (Salamanca)
Printed in Spain
Gráficas Varona S.A. Salamanca
ISBN: 84-89804-21-4
Depósito Legal: S. 215-2005

ser quinto

Ernst Jandl · Norman Junge

Lóguez Ediciones

puerta abierta
uno fuera

uno dentro

ser cuarto

puerta abierta
uno fuera

uno dentro

ser tercero

puerta abierta
uno fuera

uno dentro

ser segundo

puerta abierta
uno fuera

uno dentro

te toca

puerta abierta
uno fuera

tú dentro

¡hola doctor!